EL LADO SANO DE LA *lágrima*

EL LADO SANO DE LA *lágrima*

Jorge García Prieto

Ediciones Laponia

Houston, TX
2019

Título: El lado sano de la lágrima
Autor: Jorge García Prieto

Edición y corrección: Whigman Montoya Deler
Diseño editorial y maquetación: Jorge Venereo Tamayo
Diseño de cubierta y contraportada: Pilar Fernández Melo

Foto de cubierta: *The Lament for Icarus* de Herbert Draper

Información de catalogación de publicaciones disponible en la
Biblioteca del Congreso de los Estados Unidos.
LCCN # 2019957140

ISBN: 1-7339540-6-6
ISBN-13: 978-1-7339540-6-8

Ediciones Laponia, LLC
Houston, Texas, E.U.A.
info@edicioneslaponia.com
www.edicioneslaponia.com

.

Índice

Si alguien te dice que estas páginas se parecen a otras páginas,
diles que te amo demasiado para profanarte así. Tal como aquí te pinto,
tal te han visto mis ojos.

José Martí

Mi hijo se droga

como yo me drogué

y mi padre y mi abuelo se drogaron.

Siempre que llega le reviso los ojos

quiero que al despertarse me bese

y al acostarse me bese

que en su mundo florezcan las vicarias

y a lo largo de todo su camino

enormes algarrobos

le proporcionen sombra.

*H*ijito,

te censuro tanto que terminaré convirtiéndote en mi antónimo.

Ella quiso abortar,

despedirlo cuando aún no poseía número.
Yo coloqué una mano en aquel vientre
y sentí a Dios trotar por las puntas de los dedos.
Ella escuchó a Dios desde mis venas
y me besó y entramos en el horno y clausuramos
con un relámpago la puerta.
Más que el amor hicimos las palabras
y Dios estaba tan contento
que confesó habernos escogido.

Sobre los hombros lo llevaba,

paramos ante el foso donde los cocodrilos
con las fauces en off
esperaban la lluvia.
El agua se podría de soles y minutos.
Lo agarré con firmeza
y se posó una garza y todo estaba quieto
tan plastificado que pensé en el futuro
y lo agarré bien fuerte
temiendo que cayera.

Hoy mi hijo se tatuó la sombra de una mano

sobre su mano izquierda. Tres manos tiene mi hijo y
no precisamente para alcanzarme en colosal azogue
el diccionario azul. Tres manos que ensombrecen lo
/que tocan.
Me dejaría tocar, pero este imán partido es
/demasiado fuerte.
Soñé que me hundía y desde un óvalo de tierra
mi hijo con dos manos cruzadas sobre el pecho
ofrecía la sombra de una mano.
¿Cuánto de mí cargan las manos de mi hijo?
¿Cuál mano atrapo si estoy ciego y todo es sombra?

Hay métodos que ningún verdugo ha querido conocer

y él los guarda en una de las gavetas de su garganta, junto al papalote azul y el trompo de caoba. La niñez se le fue llenando lentamente de cuchillas, de tanto cuartear la tierra, se fue volviendo un cactus con las espinas hacia el este y hacia dentro.

Los lobos callan cuando él despierta, los gallos pierden su volcán, la aurora se diluye hasta caber en todos.

Hoy mi hijo ha borrado todos mis poemas

y una ráfaga de viento me destechó los párpados, y no pude mirar hacia atrás ni hacia delante, los ojos fijos y violados como un vidrio, ojos sin paz donde alisar un picnic, el mantel de cuadros, la hierba con sus voces… y me senté como quien, después de naufragar, con una tabla y un jirón de piel se inventa un amuleto para intentar hermanarse con la aurora, y alcé a media asta las dos manos como una marioneta, para que el viento las cortara y así cayeran, mudas, como quien después de naufragar comprende que todas las mañanas la aurora se diluye y cabe en todos.

Que tu cabeza se abra en dos hijito mío, que tu cabeza sangre hasta que no te queden lágrimas. Esto es amor de padre que cosió sus párpados para que vislumbraras el mundo, que se quedó en muñones para que no te fuera ajeno el acordeón, que se tomó un puñado de somníferos a la salud de tus sueños.

Restriega mi cuerpo con una goma de borrar.

Soy el hereje,

el del semen culpable,

el que escogió vivir sin lengua.

Hoy la cabeza de mi hijo sangró.

Se ha tatuado en la cabeza
un círculo más grande que su encéfalo.
En tinta roja
el círculo encierra la primera vocal
papá -me dijo un día- arrastrándola dos veces
y dos veces tuve corazón esa mañana.
Anarquía, balbucea, *anarquía…*
Está predestinado a repetir esta vocal.
A mi hijo no le interesa saber en qué consiste la
anarquía
solo quiso un tatuaje en la cabeza.
La cabeza de mi hijo llegó al mundo
primero que su llanto.
Desde el vientre saltó como el corcho de una sidra.
Luego el tiempo
lo ha convertido en un jabón.

El jabón se escapa entre las manos, se estrella contra
el piso, queda en las manos la espuma.
¿Qué hacer con esta espuma que endurece?
La cabeza de mi hijo es un jabón
que ya no sabe limpiarme.
Anarquía, balbucea…
Y lo miro mientras se mira en el espejo el círculo.
Inconforme se ausculta todo el cuerpo.
Le presiento un triángulo en la espalda,
un óvalo en la frente,
un rectángulo en la sombra.
No es una cuestión geométrica.
También he deconstruido mi cuerpo para construir
/mi identidad.
Anarquía, balbucea…
Se marcha.
Deja en el jardín un círculo de fuego
por donde salto como un tigre de feria.

*E*sto es el agua,

aprende a contenerle su relieve,

en ella la razón de lo que es puro no se deja moldear

es reversible porque tiene un solo lado,

acerca el rostro y verás que tu futuro no necesita

espejos, besa su voz, confía, puedes flotar como las

/aves,

puedes crecer como los árboles,

puedes llorarla como un pez sin que la luz te vea.

Si en ti la sed encaja su dominio,

esta es el agua, si el fuego te descubre,

esta es el agua,

es simple, es un cristal,

se te parece.

Los raíles por donde pasa el tren eléctrico

imitan el símbolo del infinito.
Así es la relación del hombre con la pólvora
y las arañas tejedoras huyen de sus miedos.
El tren eléctrico fue concebido
para que el niño se acuclille como Dios ante la lupa.
Cada hijo es una lupa, aunque jamás lo sea,
y también un Dios, aunque tengamos
la obligación de vacunarlo.
La mano en sombras de mi hijo es un lago
empañado por donde se bifurca el sol hasta
volverme tinta.
Ya incinerado me siento a oír el tren silbar,
el otro tren, el que rebosa con mis cenizas sus
vagones, el que se descarrila y me disgrega sobre los
arrozales donde unos pájaros, desde el dolor
aguardan.

*H*oy mi hijo ha dicho: *estoy enamorado*

de estas piedrecillas blancas.
Abre las sombras de su mano y las muestra,
resplandecen como un puñado de diamantes en una
/bolsa oscura.

Estoy enfermo de amor
pero la carne de mi amor termina
y enloquezco.
Dios no tiene que afinar los pianos,
Dios es la música. Solo escucho a Dios
cuando sostengo estos cristales.
Con ellos vuelo y rozo a Dios,
luego desciendo y enloquezco
porque sin ellos, la vida es una lasca de porcelana
y en mi tiempo no hay isla para otra cicatriz.

*Lo cargué entre mis brazos y cupo
acolchonado,*

el ovillo de saliva comenzó a desenredar su huella.

Vi la manguera de caucho poseerle la garganta.

Ahí está mi hijo

y aquí también, entre mis brazos:

gajos de bonsái en implosión salobre.

La corteza de estos brazos ha dejado de existir

como una luna que no recibe luz.

Por brazos tengo dos huesos que la desesperación

/barniza.

El *ojo lleva meses en temblor*

el mío,

el izquierdo,

el derecho está inmóvil, su párpado murió

encima del paisaje.

Hoy mi hijo se ha tatuado el rostro

de un demonio en su nombre. En fila, alineando el
/sufrir,
como las fichas de un juego de dominó, aguardamos
el grito volcánico que nos hará caer.

El alma gelatinosa de mi hijo se condensa, es un viaje
al estruendo, un espacio donde lo único que brilla
son dos ojitos enrojecidos, dos puntas de cigarros
/entre la oscuridad.

Nuestras piernas se doblan como los tallos de unas
flores bruscamente arrancadas.

Nuestros cuellos interrogan la tierra.
Somos girasoles llorando sus semillas.

*Llega con una culebra enroscada
en su mano sombría,*

sabe que en casa las antiguas escogedoras del arroz
temen a las culebras…

Pobre animal, muriendo de enroscarse.

Esta es la familia,

como verás, sus manos son iguales,
el mismo misterio les coloca entre las cejas el rocío,
el mismo relámpago los carboniza, este eres tú,
te miran porque te elevas como un puente hacia la
eternidad. Todos los niños son puentes,
sobre los viejos silbar es un peligro.
Estas son las balas de un revólver dorado
y tú eres el gatillo y el trayecto del plomo.

Hoy se ha cortado el vientre,

la tela blanca del pulóver se pega en las heridas.

Ha rayado su vientre con un vidrio.

Qué hacer en esa hora:

empuñar un vidrio, encajarlo y tirar,

luego cubrirse con el alba

y sentarse a la mesa.

Silencio, es el otoño

quien toca en la ventana.
Ha llegado temprano
a recoger su trilce.
Una isla de verdes con distintos rugidos
la de ustedes… yo tengo
el otoño incrustado.

Es un pitbull,

da miedo saberlo, tan vecino en la sangre.
Nos ata a su sombra y la deja caer.
Nos usa de carnada, le divierte
notar que en el grampín latimos
como metáforas de crucifixiones.

Hoy mi hijo se ha tragado una tijera.

Corte interior.

Soy un pez aguja asfixiado de zurcirlo.

Chas…Chas… Chas… Chas…La melodía enerva

/una estación insomne.

Chas…Chas…Chas… Le queda poca luna.

Chas…Chas… Se ha tragado una tijera y se le abrió

/bien adentro

como si fuese una paloma.

Chas… y no puede vomitarla.

Beethoven y yo somos amigos, le muestro
el órgano oriental,

la flauta china. Chaplin y yo somos hermanos, lo
/acomodo, lo tapo,
le beso su silencio. Napoleón y yo somos difuntos,
/nos lavamos el invierno en vino tinto.

Lo olvido todo. Hoy mi hijo se ha tragado una tijera
/y nada puedo hacer,
salvo invitar a Dante a ver El Morro.

Esto es el fuego,

su magia es el color, puedes domarlo
se esconde entre los roces de todo lo que vibra,
es impaciente como las estaciones,
conviene conocerlo, ponerle un nombre que nunca

/se pronuncie.

En él la noche restaura las estrellas.
Ningún morral alcanza, nació antes que Dios
y nunca duerme.

Hoy se llenó con salfumán dos copas

y se quitó la piel para que el brindis fuera
memorable. La piel desierta sintió que le llovía,
/crecieron los almendros,
la piel en sombras no quiso que llegaran las dianas
/de cubrirlo.
Años de piel elástica, escudera.
Mi hijo sin piel le mancha al viento las campanas,
el viento hace visible sus raíces,
las copas caen, el salfumán se escurre,
la piel sueña tener autonomía, enjuagarse en
salfumán, volverse viento.

Esto es el viento,

no intentes encerrarlo, podrías verle el rostro.
Jamás lo olvidarías.

Este salario no alcanza para parches,

debo escoger entre remendarme o masticar.

Comida hoy, mañana esparadrapo.

Corriente alterna que hace girar mis aspas.

Los cuchillos que mi hijo lanza

salen del mar,

me llaman por teléfono.

Hay en mi espíritu más cruces que en el Vaticano.

Bajo cada cruz la boca de una cicatriz

bajo cada cicatriz la mirada amorosa de un cuchillo.

Hoy ha nacido mi hijo,

nacer es siempre más que rompimiento y cortes.

Hay un sitio previsto donde reír y ser de estaño.

La humanidad está manchada de comienzos.

Hoy ha llorado y agradezco

al sol por la tibieza.

He buscado en el diccionario la palabra hijo

y no he tenido el valor para encontrarla. Me detuvo
la fuerza de esos cuatro puntos cardinales, cuatro
precipicios que conducen a un sólo estrellamiento.
La palabra hijo resulta una naranja: hay un cuchillo
sediento en sus morfemas.

De hijo, amaba los diccionarios, de padre, comienzo
a odiarlos lentamente, como quien odia al búfalo que
habrá de someterlo, o al instantáneo chasquido de
una polaroid dispuesta a eternizar.

Cierta similitud con él

tienen las gárgolas.
Solo en mi corazón lo siento humanamente.
A veces me destierro, llego a la soledad y reservo
/una pompa.
Noche lunar, congestionada de astros y bocinas,
/cavo en la corteza
de un flamboyán y le florezco un río,
solo para olvidar el rostro de las gárgolas.
La noche que comienza cuando la noche acaba
me deja en el surco de un río evaporado.

Esto el llanto

las perlas que se fugan,

la sal acumulada, retenerlo es tensar

lo que no se contempla

por dos razones simples:

cada una en un ojo.

He tenido que arrancármelo del pecho,

lanzarlo envuelto por mi sangre vida afuera,
de nalgas repicando contra el mundo,
y es una frialdad de *iceberg* que nunca se derrite.
La boca del cráter me chupa la camisa,
el equilibrio me olvida, he tenido que lanzarlo
como una piedra lisa sobre el cristal del agua.
He cerrado los ojos para no perseguirlo.
A veces sueño que llega, trepa,
se acomoda en mi hueco como una oruga.
Intento acariciarlo y la mano
atraviesa la cáscara del huevo donde duerme el
/vacío
Tengo amigas que han dejado caer sobre mi cráter
las aureolas más tibias,
las trenzas indefensas, carretillas de muslos.
Hay amigos en fila para intentar sobornarlo

con ediciones príncipe,

cajones donde el mar es un cuadrado.

Todo es inútil, los murciélagos se guindan de mi

/hueco,

el dolor le confunde los bordes con el marco de un

/espejo,

la humedad gesta sus hongos.

Un hueco así

no puede rellenarlo ni la muerte.

Hoy es un muñeco de yeso,

calzó sus ruedas dentadas con trozos del futuro
que alguna vez le soñamos. Podría descascararlo la
/intemperie.
Una abeja le camina por un párpado, se detiene,
/ataca, el aguijón atraviesa y llega al ojo.
Del ojo de mi hijo comienza a gotear humo.

Esto es el humo

cargamos una sílaba de su nomenclatura.
El arte de la vida está en saber qué era
antes de disgregarse.
Flor o tálamo, bronceada yesca, festín de la herejía...
Observa como asciende, nada lo hiere,
se abre paso entre el viento.
Imítale el sonido pero no la manera
de gestionar el llanto.

Su felicidad es demasiado mustia,

lo reconoce y llora. Hace grafitis con su llanto,
nos salpica de lágrimas y ardemos.
Cada agujero en el piso es una lágrima empozada.
Fabrica barcos de papel que como yo se hunden
antes de alcanzar el horizonte.

Luego de esconder lo canjeable

la casa como *hogar* pierde la *r* y ante la *h* el golpe de
/una *a*
destierra.

El buceador se enjaula y el tiburón lo ronda,

escuálido y silente, guardando la distancia que
/pronto ha de romper.

El mar hoy está oscuro,

un tiburón se acerca.

Esta es la tierra

y somos sus puñados, un día nos recibe,
se acuesta horizontal para que practiquemos
el arte de correr tras un enigma.
Sobre ella caen los pájaros que mueren
porque es exacta y se reserva la voz.
Construimos imperios y miserias como si fuese un
/animal callado
pero ella se despierta, un día
se despierta
y cubre para siempre.

Se convirtió en anciano,
las tres manos le tiemblan. Una nube hizo
/metástasis en su voz.
A veces los muertos de tanto descansar no vuelven
/nunca.
Lo riego con la primera sangre de la mañana,
pide que le alcance un pañuelo para intentar nacer
y al dárselo lo incendia, sus lágrimas también
/envejecieron,
le imploro que vomite la tijera,
es mi deber besarlo en el veneno, surtirlo del
/racimo de lágrimas
que guardo por si acaso alguna noche
tiene que abrir en el jardín un foso.

Del átomo a la explosión hay una cuerda

por donde cruza el hombre disfrazado de hombre
/sin disfraz.
Del espermatozoide al hijo hay una cuerda
por donde cruza el lenguaje de todos los cinceles.
Envejezco desde el aire.
Hoy no alcancé sitio para al caer, llevarme flores,
/pero al igual mojé mis manos
y me sequé la cara con un papel de lija.
El cordón umbilical de tu hijo te amarra para
siempre, no importa que se acorte el equilibrio
o que a la muerte
se le partan las uñas.

Hijo, esta es la muerte,

aguántala un momento,

vuelvo pronto, también te pertenece.

Cuando salto por el círculo de fuego

suelo caer sobre el amor si hay luna.
Intento saltar mientras la noche brilla, conviene
caer sobre el amor. Yo salto y otra realidad
/comienza a dibujarme.
Más allá del círculo me recibe otro círculo,
allí mi reino,
mi hijo dándole la espalda a la tijera, hijo con piel,
/bebiendo agua.
Desempolvo sus pulmones sin miedo a contaminar
/el cielo.
Lo duermo en las rodillas, lo dejo soñar,
es solo un niño, pero es mucho más que una
/constelación,
es la semilla patria, el fuelle que sopla para que el
/fuego bese.

Le canto mientras sueña,
no le tiembla la aurora,
su vientre es como el mar cuando se aquieta el
viento
y en sus párpados puedo adivinarle el corazón,
/sueña tranquilo.

Aunque no existas te voy a amar, aunque los
/escorpiones me cubran,
voy a nacer amándote,
serás verde por siempre, muere de luz para que
/nunca heredes
el círculo que arrastro.

Cuando he cesado de verte en una forma, he cesado de pintarte.
Esos riachuelos han pasado por mi corazón.

José Martí

Hijo, en tu busca[1] la luz pide limosnas. A la diestra de la luz hay un sombrero, en realidad, un viejo espía de la noche, pero solo lo sabe el alacrán que en el parto de ese abismo es devorado por sus crías.

El mago pasa ante el sombrero y se deja derretir las manos, las gotea en los bolsillos donde otros alacranes se disputan la gota menos verde.

El mago, como el avestruz, descubre lo hueca que es la tierra, y allí, en ese óvalo, a la diestra de un sombrero, el crucigrama que es Dios, con el insomnio extendido y un alacrán sobre cada palabra.

---

[1] En lo adelante, todos los textos en negritas y cursivas pertenecen al libro *Ismaelillo*, de José Martí.

¡Alas me nacen! He sido el avestruz que resultó ser un mago en la extensión de un insomnio. Con doce trucos soborné las mareas, el muelle del cuello lo convertí en cordel para que los conejos huyeran mar arriba hasta volverse blancos, como estos dedos de imán donde se pegan tus pestañas.

Tú flotas sobre todo, y al igual que un continente te revientas, solo que no lo sabes y desde el ombligo a la nostalgia sigues flotando. A veces el amor es la sequedad, a ratos la estampida, a retazos terribles unas arenas húmedas y hambrientas. Abre los brazos, extiéndete como una paloma en la boca de la cicatriz, no olvides que desde La Habana flotas sobre Londres. El alfiler que ignoras hoy quiero renegarlo tres relojes antes que amanezcas.

Limpian mis carnes unos pájaros tan negros que me recuerdan tus pasos. No sé si puedo devolverles el silbido aunque me pulan, son el columpio del hambre, me llevan en sus picos y en sus garras, por momentos me dejo limpiar como si fuese un cocodrilo, necesito de estos pájaros, no los azores, no recojas la piedra, deja que a tu padre lo abracen como a un coral que palidece en los tentáculos del cielo.

Y a mi pálido cuello ha llegado el cuchillo que desde el mar lanzaste, quiere tener el filo de la aurora, reírse con mis brazos.

Desde pequeño me enseñaron a guardar bajo el arpegio algún cuchillo, sin cuchillos respirar puede contagiarse de inocencia.

Siempre habrá una almohada sobre el desvelo de la boa, y un renglón en el cadalso para los inocentes.

Y yo en el agua fresca quiero olvidarlo todo, ser de un agua que en carne olvida la espesura, el buitre sobre el hombro del triste espantapájaros. El agua me convida a un nuevo nacimiento, tiene un pecho tan cálido que a veces da tristeza. El agua es un abrazo que deslumbra mi cara de gato al que arrojaron aceite. Amo el agua y en ella me sumerjo, restriego la fortuna y no te borras, amo tu mancha pero restriego fuerte, pues necesito a veces sentir que cargo alas.

El aire está espeso. No hay alacrán que pueda sucederte, ni siquiera el humo o el relámpago te invitan a su siesta, a enjuagarte con ellos el candil. En tu interior habita el arquitecto que dibuja el polvo, ni siquiera la sombra se guarda en tus ocasos. La sombra teme no ser más que una libélula, clavada en una espina del rosal.

Mi espíritu encendido busca el agua, el lado sano de una lágrima donde enjuagarse cuando despertar es una rajadura. El ardor me da un diploma, pone una cinta roja de lado a lado del tiempo. Tú abres el gatillo. Los vecinos en la plaza esperan que comience el espectáculo, cada uno carga al diablo que los nombra inocentes, reconozco al verdugo porque su capucha es una cáscara vacía, sus manos, catorce botellas de mi sangre, sus ojos, dos puntas de cigarros desde la oscuridad.

¡No vivas, hijo! He querido decirte, y jalé la cadena, y me deduje un fósil despierto en la garganta del carbono.

Siglos de tierra y olvido me separan del árbol y del pájaro en su mancha, un fósil muchas heridas más extenso que el océano de ámbar que le inundó el reposo.

Salgo por el boulevard, nadie intenta venderme un sobre con la vida dentro.

Regreso al hueco que dejé en la noche, allí es mejor quedarse, el mundo tiene puntas.

Lo he dicho con la voz doblada y antes de decirlo ya el amanecer me había hecho callar.

Mas si amar piensas, colócate la piel.

De la noche revuelta caen oscuras estrellas, y en los huecos que deja para la sal el cielo, se acumulan parábolas, pero ya nadie escribe hasta sangrar diez astros o diez huecos sin aire o diez constituciones. Escribir es fugarse con un paraguas roto bajo los calendarios. El lobo sabe firmar con sus colmillos y es por eso que la luna lo inventa, y el asesino le deja entrar a su tatuaje, y el sacerdote lo cría con un montón de biblias.

Mis hilillos de sangre se olvidan de noviembre, saltan con una pierna y con la otra escriben: *El cuerpo es una prótesis.*

…y entonces es que almuerzas tus espejos y te vas como un ciempiés sin un camino. Yo te agarraba fuerte aquel día ante el foso, tan fuerte que te escachaba por temor a que el agua se me volviera roja. Un acto lleva al otro, un clavo se entrecruza. La vida es una caja, a veces la destapo, a ratos le echo un trueno para sentir que existo. La vida está en el hombro de cada marioneta, del hombro que se mueve aunque el hilo se parta. Yo te agarraba fuerte como si te escaparas: *En doradas burbujas.*

Si hubieses sido ciego como las amatistas, qué canción hubiera puesto a girar, seguro alguna que obligase a rajarse dejando afuera el rayo, y nadie ganaría en esplendor a tu piedra, desde allí, desde tu dura y deformada altura, el sol como un pañuelo, el gorrión de noviembre envidiando la tormenta con que muerdes la noche. Dos ojos escondidos pero al fin manantiales, antorchas en la meta. Si hubieses sido ciego, por ojos le daría a tus hogueras, quizás, lo que hoy me rompes. *Y a mis ojos los antros.*

AMOR (un alacrán encima) CONFIANZA (un alacrán encima) COMPLICIDAD (un alacrán encima)

ENTREGA (un alacrán encima)

DESTELLO (un alacrán encima)

PERSEVERANCIA (un alacrán encima) … Y así hasta agotarlas.

Y así mis pensamientos.

El hombre agradece las voces de la hierba, para esto sirve el horizonte, para mirar a un niño irse bien lejos.

El lago existe mandatario y dictador a veces. Sobre el mantel de cuadros una tortuga carga el mundo. La felicidad es plana, cabe en los bolsillos de esta hora, en la paz del hombre que no se conforma con haber muerto antier, y hoy se pone una espalda de plumas por donde escalan pájaros.

Es que al mediodía de la noche debe volver a la muerte. Es que olvidó los labios en el fuego, y la sangre de los labios en el alba. Es que hasta la muerte tiene manecillas y por eso la sangre la engañó con un antílope. Es que los labios buscan una palabra donde nacer de piedras.

Es que un beso invisible.

Regresa el hombre a la muerte. Antes se detuvo a bautizar con humo su caballo, le ha confesado algo que solo escucha el cielo, por eso se inclinó, y algunas vírgenes cayeron sonrientes. Aprisa se fueron por el mundo, a cortarse las alas. Una vez ya tatuadas, sembraron sus pasados.

- ¿Comprendes, hijo? ¿Comprendes la locura?
- *Así vuelan las hojas.*

Una virgen se pone un candelabro de tres lunas en el vientre y me llama por el nombre que mi padre no me puso. La huelo, desde la muerte la huelo, en su vientre hay una ola pero no menguan las lunas en el candelabro. Desde la muerte se puede desear, sé que el silencio esteriliza, por eso es el reposo, sé que ella quiere utilizarme para regresar a su cadáver. Se dejó tatuar la memoria por un vendedor de caballos, le huelo los caballos, trotan y espumean sobre las tres lunas. En las noches el vendedor de caballos la montaba, se dejaba montar porque él tenía las manos ásperas de un Dios, pero sin alacranes. Ella me llama por el noveno nombre que mi madre no se atrevió a ponerme, luego comienza a tejer el único poema que mi hijo recita y me despierto, estoy despierto en la muerte, ella tiene en el vientre un arpa, una ciudad cubierta de luciérnagas, una boca de antílope que comienza a decir: *Pálido ángel.*

La virgen con olor a caballos le contó a la virgen con
olor a mariscos el olor de mis ojos cuando están en la
muerte. La virgen con olor a mariscos amenazó al
pescador con desengancharse los grampines de los
senos, y él salió en busca de un pez luna para intentar
olvidarla.

Ella llegó a mis ojos y me pidió de rodillas que
muriera. Tenía el vientre liso y las piernas arenosas, la
cola de sirena comenzaba a crecerle.

Me pidió que muriera de una vez, se llenó de escamas
para olerme los ojos, me juró que amaría la tierra, que
desterraría de su lengua a todos los cangrejos.

Dentro de una piedra, la virgen con olor a caballos
lloraba por las lunas que me atreví a romperle, sabía
que mis ojos no eran palabras pero aquél que los
heredase se volvería arcilla. *Yo sueño con los ojos.*

(Dos vírgenes encintas y tres lunas y una escama reclaman sus derechos, un aplauso quizás, yo levanto las manos como una marioneta para que el viento las escuche.

Un vendedor de caballos y un pescador de lunas han venido a matarme pero no se atreven a entrar vivos en la muerte.

Preguntan cuál caracol puede esconder mi espalda, qué pájaros la habitan, dónde el foso y qué reptil pudiera ser mi sombra.

No me dejan morir tranquilo, me descoso los párpados y abro la boca para que respiren el alacrán que escondo.

Ellos no saben vivir si no me enjuician. Han traído al verdugo, su capucha es una cáscara vacía, sus manos, catorce botellas de mi sangre.)

Acerca del autor...

 **Jorge García Prieto** (La Habana, Cuba, 1979). Poeta y Promotor Cultural. Dirigió el Taller Literario Municipal de Arroyo Naranjo. Premio de Poesía Manuel Cofiño 2007, Segundo lugar en el Concurso Nacional de Poesía Rafaela Chacón Nardi 2007, finalista del Premio David 2012, Premio Nacional de Décima Francisco Riverón Hernández 2017. Tiene publicado los libros: Poemas subsidiados (La pereza, Miami, 2013) y Errático animal (Montecallado, Cuba, 2018). Textos suyos aparecen en las antologías Esta cárcel de aire puro (Editorial Abril, 2011), El árbol en la cumbre (Editorial Letras Cubanas, 2014), Paraninfos (Editorial Capiro, 2017) y Estaciones de retornos (Editorial Shushikuikat, 2019). Ha colaborado con revistas de Chile, Argentina y México.

El lado sano de la lágrima
de Jorge García Prieto, concluyó su proceso editorial
en diciembre de 2019 en la ciudad de Houston, Texas,
Estados Unidos de América.